Cuentos para tlacuaches

Cuentos para tlacuaches

Norma Muñoz Ledo

Ilustraciones de Beatriz Rodríguez

Muñoz Ledo, Norma
    Cuentos para tlacuaches / Norma Muñoz Ledo ; il. Beatriz
Rodríguez – México : Ediciones SM, 2005 [reimp. 2012].
[58] p. : il. ; 19 x 12 cm – (El barco de vapor. Blanca ; 20)

ISBN : 978-970-688-550-0

1. Cuentos mexicanos. 2. Cuentos infantiles. 3. Familia – Literatura
infantil. I. Rodríguez, Beatriz, il. II. t. III. Ser.

Dewey M863 M86

Ilustraciones y cubierta: Beatriz Rodríguez

Primera edición, 2005
Sexta reimpresión, 2012
D. R. © SM de Ediciones, S. A. de C. V., 2005
Magdalena 211, Colonia del Valle,
03100, México, D. F.
Tel.: (55) 1087 8400
www.ediciones-sm.com.mx
www.andalia.com.mx

ISBN 978-970-688-550-0
ISBN 978-968-779-176-0 de la colección El Barco de Vapor

Miembro de la Cámara Nacional de la Industria Editorial Mexicana
Registro número 2830

Impreso en México / *Printed in Mexico*

*A Fer y Ana, las tlacuachas
que siguen creciendo*

Mamá Tlacuache
estaba muy acalorada.
En la cocina de su madriguera
parecía refugiarse
todo el calor del mes de junio.

Ya se había tomado
cuatro vasos enteros
de agua de limón
y apenas conseguía refrescarse.
De pronto, miró su reloj.
—¡Hora de comer! —gritó.
Mamá Tlacuache paró la oreja
para ver si escuchaba algún
ruido, pero lo único
que pudo oír
fueron unas risitas lejanas.
—¡Hora de comeeeer! —gritó
nuevamente.

Desde lo alto del árbol,
donde estaba su madriguera,
se oyeron unos fuertes ruidos.
Alguien venía cayendo,
dando tumbos
de rama en rama,
tirando hojas,
rompiendo nidos
y varas secas.

Por fin,
dos pequeños tlacuaches,
uno un poco más grande que otro,
entraron rodando a la cocina,
hechos una pelota de pelo gris,
cubiertos de polvo y hojas.
Mamá agachó las dos orejas.
—Ya les he dicho que así
no se baja del árbol.
Dense una lamida de patas,
que ya vamos a comer.

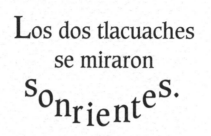

Los dos tlacuaches
se miraron
sonrientes.

A esa hora
sólo pensaban en comida,
así que se dieron
unas cuantas lamidas
en cada pata
y se sentaron en el tronco.

—¡Yo quiero agua! —gritó uno.
—¡Yo quiero sopa de raíz
de apio! —chilló el otro.
—¡Quiero una bellota!
—¡Y yo hojas de zanahoria!
—¿Me trajiste mis granos
de maíz?
—¿Y mis manzanas?

—¡Un momento! —dijo mamá,
alzando un poco la voz.

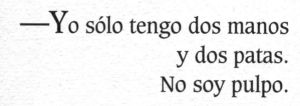

—Yo sólo tengo dos manos
y dos patas.
No soy pulpo.

Los dos tlacuaches
la miraron sorprendidos.
—¿No eres qué? —preguntó uno.
—No soy pulpo.

—Los pulpos
son unos animales
que viven en el mar
y tienen ocho brazos,
que se llaman
tentáculos —explicó
mamá

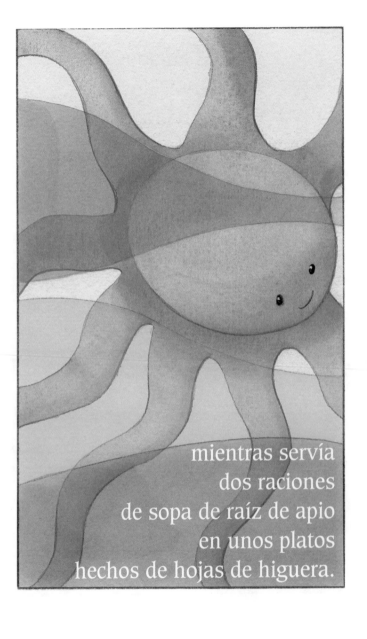

mientras servía
dos raciones
de sopa de raíz de apio
en unos platos
hechos de hojas de higuera.

—¿Tentaqué?
—Tentáculos.
—¡Ocho brazos!
¿Te imaginas? —exclamó uno.

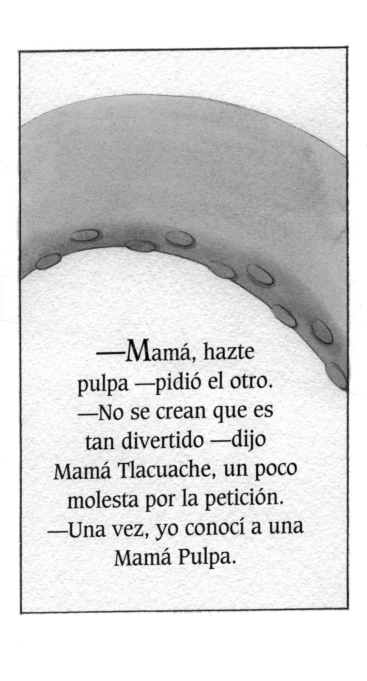

—Mamá, hazte
pulpa —pidió el otro.
—No se crean que es
tan divertido —dijo
Mamá Tlacuache, un poco
molesta por la petición.
—Una vez, yo conocí a una
Mamá Pulpa.

¡Mamá Pulpa!

—Mamá Pulpa
tenía cuatro hijos,
pero eso no era problema,
porque ella tenía
ocho brazos.
Cuando iban de paseo,
los chicos siempre se distraían.

—Uno
se entretenía con los
corales,
otro buscaba
caballitos de mar,
mientras otros dos
perseguían a
las medusas.

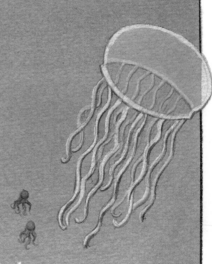

—Mamá Pulpa
llevaba en un tentáculo
su bolsa, en otro,
la canasta del picnic,
en otro su cuaderno
y en otro más su pluma fuente.

Aun así,
le quedaban
cuatro brazos libres,
con cada uno
recuperaba a un hijo
y seguían todos juntos el paseo.

Cuando se sentaban
a hacer la tarea,
Mamá Pulpa
se daba gusto.
Sujetaba a cada pequeño
con un tentáculo
para que no se fuera corriendo
y con el otro,
les detenía la pluma
para ayudarles a escribir.

La hora del baño
era muy rápida,
        a pesar de ser
        cuatro hijos.
        Con cuatro brazos,

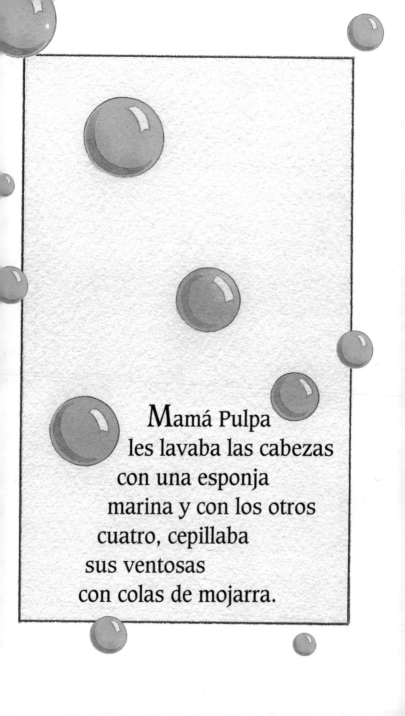

Mamá Pulpa
les lavaba las cabezas
con una esponja
marina y con los otros
cuatro, cepillaba
sus ventosas
con colas de mojarra.

—¿Y no los dejaba
jugar en la tina? —preguntó
el tlacuache mayor.
—No había tiempo para eso.
Los pulpos
tienen muchas
ventosas
y hay que
lavarlas todas,
si no, huelen
a mejillón
pasado.

—Pero lo bueno es que Mamá Pulpa, con sus ocho tentáculos, podía hacer todo muy rápido.

Los dos tlacuaches
miraban a su mamá
sin parpadear.
El chico ya se había
terminado su sopa
y chupaba su cuchara pensativo.
—Mejor ya no quiero
que seas pulpa —dijo.
—Ni yo —añadió el otro.
Ocho brazos son muchos,
con dos estás bien.
¿Me puedes servir agua?

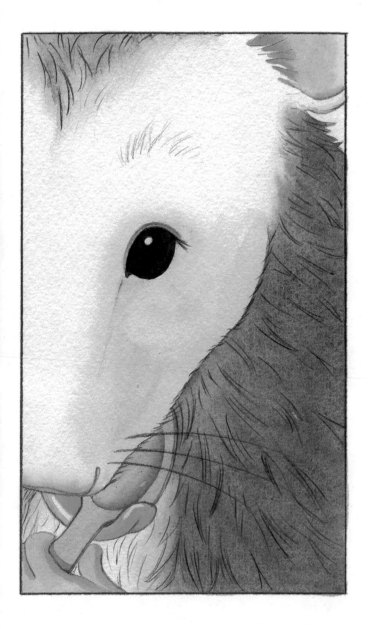

Dolor
de pancita.

Mamá sirvió agua
en dos enormes alcatraces.
Mientras los tlacuaches
la bebían,
ella preparaba ensalada
de semillas de pirul
en dos cortezas de árbol
y la ponía en la mesa.

—¡Yo ya no quiero
comer! —dijo el tlacuache grande.
Me duele mi pancita.
—¡Ni yo! —añadió el chico,
acostándose en el suelo.
—Me duele un ojo.
—¡Mmmm! —exclamó mamá.
¡Cuántos dolores!
Pero yo conozco
un remedio muy bueno.

—¿Cuál? —preguntaron
los tlacuaches al unísono,
con los ojos redondos
de curiosidad.
—Le llamamos al doctor y que
les cambie lo que les duele
y les ponga
uno nuevo.

—Al que le duele la panza,
le pone una de gansa.

—¿Y al que le duele
el ojo? —preguntó
el tlacuache menor.
—Le pone uno
de piojo.

Los dos tlacuaches
se miraron
un poco serios.

—A mí también me duele
el paladar
—dijo el tlacuache grande.
—Pues que te pongan
uno de calamar.
—Y a mí me duele
la rodilla
—se quejó el otro.
—Que te la cambien
por una de ardilla.

Los tlacuaches se rieron.
El chico se comió
una semilla de pirul.
—También me duele
una cosquilla —aseguró.
—Ha de ser una costilla,
que te pongan
una de polilla
—dijo mamá.

—Y a mí el dedo gordo.
—Te lo cambiamos
por uno de tordo.
—A mí me duele
la nariz.
—Que te pongan
una de lombriz.

—A mí a veces me duele
una pestaña.
—Te pondremos
una de araña.

Los tlacuaches
estaban muertos de risa
y come que come sus semillas.
Comenzaron a imaginarse
cómo se verían con
todos esos cambios.

—Y a mí me duele
la oreja —dijo el chico
con mucha risa.
—Que te pongan
una de oveja —propuso
Mamá Tlacuache.
—¿Y si me duelen
los pies? —quiso saber
el grande.
—¿Quieres los de
un ciempiés? —preguntó mamá.

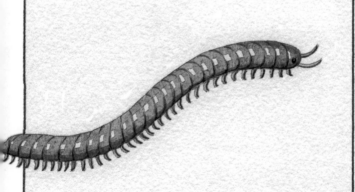

—También me duele
un colmillo.
—Te conseguimos el de
un armadillo.

—Y a mí me duele
el tímpano.
—Te pondremos uno
de pámpano.

Granizo

Los tlacuaches
no paraban de reír.
En eso, se empezó a escuchar
una fuerte lluvia.

—¡Qué aguacero! —exclamó mamá, mientras se asomaba por la entrada de la madriguera. —¡Vengan a ver!

Los dos tlacuaches
se acercaron corriendo,
uno pasó encima de otro.
Desde su agujero
vieron unos trozos de hielo
del tamaño de una uva
que caían del cielo,
haciendo mucho ruido.
—¿Qué es eso, Mamá?
—Granizo.

Los tres tlacuaches
se quedaron muy quietos
viendo cómo los granizos
caían y rebotaban,
hasta que el suelo del bosque
se cubrió de blanco.

Después,
todo quedó en silencio.
Mamá asomó su cabeza
por el agujero,
olfateó y se deslizó con cuidado
hacia afuera:
primero sus patas delanteras,
luego su panza
y al final, sus patas traseras
y su cola.
—¡Vengan! —llamó
a sus hijos.
Los pequeños tlacuaches
no se ponían de acuerdo.
Se jalaban las orejas
para ver quién sería
el primero en salir.

Por fin
los dos salieron juntos
de un brinco,
y en cuanto tocaron el hielo,
se regresaron de otro brinco.
Nunca habían sentido
tanto frío en los pies.
Después, volvieron a salir
muy cautelosos.

Mamá los miraba,
mordiendo un granizo.

El tlacuache chico
tomó un pedazo de hielo,
el más grande
que encontró,
y empezó a lamerlo.

Enseguida,
el tlacuache grande
hizo lo mismo.
—¡Sabe a agua! —exclamó
el chico.
El grande chupaba su granizo
mientras miraba al cielo
muy pensativo.

—Yo ya sé lo que es
el granizo —dijo de pronto.
—¿Qué es? —preguntó mamá.

—Son nubes
que se hacen hielo
y como pesan mucho,
se caen
y se rompen.

Mamá sonrió
y se subió
a una piedra.

Los pequeños
la siguieron
y ahí
se acostaron los tres
a chupar su granizo.

Pronto las nubes
se quitaron,
el día brilló otra vez
y mamá y sus tlacuaches
alzaron sus pies
para calentarlos
bajo los rayos del sol
de la tarde.

Cuentos para tlacuaches
se terminó de imprimir en febrero de 2012
en Editorial Impresora Apolo, S. A. de C. V., Centeno núm. 150,
local 6, col. Granjas Esmeralda, c. p. 09810, Iztapalapa,
México, D. F. En su composición se empleó
la fuente Caxton.